koala
tijger
sneeuwuil
ara
kaketoe
vogelkooi
olifant

# Een nacht op wacht

**AVI:** 6*

**Leesmoeilijkheid:** Woorden met een trema

**Thema:** Dierentuin

* Zonder de leesmoeilijkheid is het AVI-niveau: AVI 5



Zwijsen

# Henk Hokke
# Een nacht op wacht

met tekeningen van Alice Hoogstad

## 1. Diefstal?

‘Hanna en Jesse, schiet nou eens op!’
Hanna en Jesse rennen naar de auto.
‘Ja mam, we komen er al aan!’ roept Hanna.
Hanna’s moeder trommelt geërgerd met haar vingers op het stuur.
Vlug stappen ze met z’n tweeën in.
‘Sorry mam,’ hijgt Hanna, ‘maar ik kon mijn laarzen niet vinden.’
Haar moeder schudt haar hoofd en rijdt weg.
‘Weet je waar jij heel blij om moet zijn?’ vraagt ze.
Hanna stoot Jesse aan en grinnikt.
‘Ja mam, dat mijn neus vastzit,’ zegt ze met een grijns.
‘Anders zou ik die ook vaak kwijt zijn.’
Haar moeder kijkt lachend in de spiegel.
‘Zo is het maar net,’ zegt ze.
‘Wat gaan jullie straks doen?’
‘Eerst moeten we het hok van Radja schoonmaken,’ zegt Jesse.
De moeder van Hanna knikt.
‘Aha, vandaar die laarzen.
En wat nog meer?’
‘Daarna mogen we de zeehonden en pinguïns helpen voeren,’ zegt Hanna.
‘Dat heeft Wim ons beloofd.’
Haar moeder remt voor een rood stoplicht.

Geërgerd kijkt ze op haar horloge.
'Het is hier ook altijd hetzelfde,' moppert ze.
'Als ik haast heb, staan alle verkeerslichten op rood.'
Ze draait zich om.
'Zullen we om twaalf uur op het terras afspreken?'
Hanna knikt gehoorzaam.
Ze heeft deze week vakantie.
Samen met Jesse mag ze de hele week in de dierentuin helpen.
Jesse is haar vriendje en haar buurjongen.
Ze spelen heel vaak samen.
Hanna's moeder werkt in de dierentuin.
Ze is dierenarts.
Dat wil Hanna later ook worden.
Dierenarts of assistente van een dierenarts.
Dat weet ze nog niet zeker.
'Hè hè,' zegt Hanna's moeder opgelucht, als het licht op groen springt.

Even later parkeert ze haar auto bij de dierentuin.
Er staan nog wat andere auto's en een paar fietsen.
'Kijk, Wim is er al,' zegt Hanna.
Ze wijst naar een blauwe auto naast de plattegrond van de dierentuin.
Hanna's moeder loopt naar een deur bij het draaihek.
Ze toetst een nummer in op een vierkant kastje.
De deur zwaait met een klik open.

Als ze binnen zijn, komt er een man op hen af.
Hij draagt een overall en groene laarzen.
'Dag Wim,' zegt de moeder van Hanna.
De man knikt kort naar haar.
Hij steekt een hand op naar Hanna en Jesse.
'Er is een sneeuwuil weg,' zegt hij.
Het gezicht van Hanna's moeder betrekt.
'Alweer?
Ik bedoel ... gisteren was er een kaketoe weg.
De dag daarvoor een ara en nu is er dus een sneeuwuil weg.
Het lijkt wel of er elke nacht een vogel verdwijnt.'
'Wat is een ara?' fluistert Jesse tegen Hanna.
Wim hoort zijn vraag.
'Een ara is een soort papegaai,' zegt hij.
'Deze kwam uit Brazilië.'
Hij schudt zijn hoofd.
'Ik begrijp er niets van,' zegt hij.
'Ik heb de hele kooi geïnspecteerd.
Er is nergens een gat waardoor hij ontsnapt kan zijn.
Je zou bijna denken ...'
Hij maakt zijn zin niet af.
Hanna en Jesse kijken elkaar aan.
Ze snappen wel wat Wim bedoelt.
'Wat zegt Onno ervan?' vraagt Hanna's moeder.
Wim haalt zijn schouders op.

'Die is heel erg boos.
Hij gaat misschien de politie waarschuwen.'
Hanna zucht eens diep.
Ze kent Onno wel.
Hij is de directeur van de dierentuin.
Geen wonder dat hij zo boos is.
Nu zijn er al drie vogels verdwenen. Zou iemand echt die vogels stelen?
Of zijn ze uit de kooi ontsnapt?
Nee, Wim heeft de hele kooi gecontroleerd.
Dat zei hij net zelf.
Hanna's moeder schudt haar hoofd.
'Ik praat zelf wel met Onno,' zegt ze.
Wim kijkt Hanna en Jesse aan.
'Zijn jullie tweeën er klaar voor?'
Hanna en Jesse knikken allebei heftig.
Hanna wijst op de laarzen in haar hand.
'Alleen nog even mijn laarzen aantrekken.'
'Dan ga ik alvast naar het hok van Radja,' zegt Wim.
'Ik zie jullie daar zo wel.'
Hanna's moeder kijkt op haar horloge.
'Ik ga ook aan het werk.
Er wachten genoeg patiënten op me.
Om twaalf uur eten we samen op het terras.
Goed naar Wim luisteren, hoor.
En geen gevaarlijke dingen doen.'
Ze geeft Hanna een zoen op haar wang.

Jesse krijgt een aai over zijn hoofd.
Dan loopt ze vlug naar de ziekenboeg.
Hanna gaat op een bank zitten.
Ze trekt haar laarzen aan.
Haar schoenen stopt ze in een tas.
Dan rennen ze in de richting van het tijgerhok.

## 2. Ilse

Wim staat hen al op te wachten.
Hij heeft een grote schep in zijn hand.
Hij geeft Hanna en Jesse ieder een kleine schep.
'En dan gaan we nu het enge hok in,' zegt hij.
'Kijk uit voor de tijger die alles verslindt.'
Hanna en Jesse lachen.
Ze weten wel dat Wim het hok heeft geïnspecteerd.
Radja, de tijger, is naar een ander hok gebracht.
Daarom kan dit hok nu worden schoongemaakt.
Alle mest moet eruit geschept worden.
Daarna kan Wim het hok met water schoonspuiten.
Pas dan mag Radja er weer in.
Het is niet het leukste werk.
Het stinkt flink in het hok.
Maar ja, straks mogen ze de zeehonden en pinguïns helpen voeren.
Dat is wel heel leuk.

'Ziezo,' zegt Hanna na een halfuur.
Ze legt haar schep neer.
Ook Jesse legt zijn schep neer.
'Mooi werk, hoor,' zegt Wim.
Hij sluit een slang aan op een kraan.
Hij spuit water op de laarzen van Hanna en Jesse.
Zo spoelt al het vuil eraf.

'Zie ik jullie straks bij de pinguïns en zeehonden?'
Hij kijkt op zijn horloge.
'Over een halfuur of zo?'
Hanna en Jesse knikken.
Wim draait de kraan verder open en begint het hok schoon te spuiten.

Hanna en Jesse lopen naar de zeehonden.
'Denk jij dat die vogels gestolen zijn?' vraagt Jesse.
Hanna haalt haar schouders op.
'Ik weet het niet, maar het lijkt er wel op.
Wim heeft de hele kooi gecontroleerd.'
Ze stoot Jesse aan.
'Zullen we zelf eens bij de kooi gaan kijken?
We hebben tijd genoeg tot Wim klaar is.'
'Mij best,' zegt Jesse.
Bij de koala's slaan ze rechtsaf. Ze blijven even stilstaan om naar de beren te kijken.
'Mama vertelde dat ze pas uit Australië zijn gekomen.
Wat zijn ze mooi,' zegt Hanna.
Dan hollen ze verder naar de vogelkooi.
Van een afstand horen ze de vogels al krijsen en fluiten.
Hanna en Jesse lopen langs het gaas van de kooi.
De kooi is meer dan zes meter hoog.
Ook langs de bovenkant is gaas gespannen.
Hanna en Jesse bekijken het gaas heel erg goed.
Aan het eind van de kooi stoppen ze.

‘Hier is niks te zien,’ zegt Hanna.
Ze wijst naar rechts.
‘Kom, we lopen een keer om de kooi heen.’
Ze kijken nog eens heel goed.
‘Zit hier misschien een gat?’ vraagt Jesse.
Hij wijst naar beneden.
Daar is de grond een stukje omgewoeld.
Hanna bukt zich.
Ze trekt een paar keer flink aan het gaas.
‘Nee hoor, dit is geen gat waar een vogel doorheen kan.’
Ze kijkt omhoog.
‘Of er moet daar ergens een gat zitten.
Maar dat kun je niet zo goed zien.
Er zit een grote tak voor.’
‘En de achterkant van de kooi dan?’ vraagt Jesse.
Hanna schudt haar hoofd.
‘Daar zit geen gaas.’
‘Nee, dat weet ik,’ zegt Jesse.
‘Maar dan kan er toch wel een gat zitten?’
‘Ja, daar heb je gelijk in,’ zegt Hanna.
Ze wringen zich door een dichte struik.
Dan staan ze achter de grote kooi.
De grond is er een beetje modderig.
Er hangt een weeë geur.
Een paar meter naar rechts staat een hek met prikkel-
draad.
Daarachter ligt de parkeerplaats.

Voetje voor voetje lopen ze langs de hoge houten wand.
'Hier is ook niks te zien,' zegt Jesse.
Bij de deur van de kooi stoppen ze.
Hanna wil wat zeggen, maar opeens zwaait de deur open.
Er komt een meisje naar buiten.
Ze schrikt als ze Hanna en Jesse ziet.
'Wat doen jullie hier?' snauwt ze.
'Wij eh ... wij kijken hier gewoon even,' zegt Hanna.
Het meisje kijkt met een geïrriteerd gezicht op haar horloge.
'Maar de dierentuin is nog niet eens open.
Hoe komen jullie dan binnen?'
'Mijn moeder werkt hier,' zegt Hanna.
'Wij helpen Wim vandaag.
We hebben net het hok van Radja schoongemaakt.'
Jesse knikt.
'Ja, en straks mogen we de zeehonden en de pinguïns voeren.'
Het meisje kijkt hen wantrouwig aan.
'Maar wat doen jullie hier dan bij de vogelkooi?'
Hanna en Jesse geven geen antwoord.
'Nou, vertel op,' zegt het meisje op dreigende toon.
'Weten jullie soms meer van die vogels die weg zijn?'
'Heus niet!' roept Hanna boos.

'We waren toevallig net zelf aan het kijken.'
Het meisje pakt een sleutel uit haar zak.
'O ja, en waar keken jullie dan naar?'
'Of er een gat in het gaas zit,' zegt Jesse.
'Misschien zijn die vogels daardoor ontsnapt.'
Het meisje draait de deur op slot.
'Er zit geen gat in het gaas,' zegt ze.
Haar stem klinkt niet meer zo geërgerd als net.
'Ik heb alles bekeken van boven naar beneden.
Er is nergens een gat.'
'Ook niet in het gaas aan de bovenkant?' vraagt Hanna.
Het meisje schudt haar hoofd.
'Nee hoor, er zit nergens een gat in het gaas.
Ik heb echt alles bekeken.
En nu gaan jullie weg.
Je mag hier niet eens komen.'
Hanna en Jesse doen wat ze zegt.
Vlug lopen ze naar de zeehonden.
'Wat een raar meisje,' zegt Jesse.
'Ken jij haar?'
'Nee, ik heb haar nog nooit gezien,' zegt Hanna.
'Maar ik vind haar niet zo aardig.
Kom, we rennen het laatste stuk.'

Wim staat al vol ongeduld op hen te wachten.
'Waar bleven jullie nou zolang?'
'We waren net bij de vogelkooi,' hijgt Hanna.

Ze vertelt van de ontmoeting met het meisje.
Wim knikt peinzend.
'Ja, dat moet Ilse zijn.
Ze werkt hier nog maar kort.
Ze heeft bij een dierentuin in België gewerkt.
Ik vind het een vreemd meisje.
Kwam ze net uit de kooi, zeg je?'
Hanna en Jesse knikken.
'Dat is helemaal vreemd,' zegt Wim zacht.
'Daar hoort ze eigenlijk geen sleutel van te hebben.
Nou ja, pak maar gauw een emmer vis.
Eens kijken of deze schatjes honger hebben.
Zorg wel dat je de vissen een beetje eerlijk verdeelt.'
Hanna en Jesse doen wat Wim zegt.
Ze gooien om beurten een vis in het water.
Hanna is er met haar gedachten niet bij. Ze denkt steeds aan het meisje bij de kooi.
Zou zij iets met de verdwenen vogels te maken hebben?

## 3. Er moet iets gebeuren

'Jullie zijn mooi op tijd,' zegt Hanna's moeder.
Ze zit op het terras.
Voor haar staat een kop koffie.
De dierentuin is inmiddels open, maar druk is het niet.
Hanna en Jesse gaan zitten.
'Ik heb al wat voor jullie besteld,' zegt Hanna's moeder.
'Een frietje en een cola.
Is dat goed?'
'Yes!' roepen Hanna en Jesse tegelijk.
Hanna kijkt haar moeder aan.
'Mam, wat heeft Onno gezegd?'
Haar moeder trekt verbaasd haar wenkbrauwen op.
'Wat bedoel je?'
'Over die vogels die weg zijn natuurlijk!' roept Hanna.
'Jij zou nog met hem praten.'
Het gezicht van haar moeder betrekt.
'O ja, dat is waar ook.
Nou ja, daar was hij heel boos over.
Hij snapt niet hoe het kan.
De hele kooi is bekeken.
Eerst door Wim en later door dat nieuwe meisje.'
'Door Ilse,' zegt Jesse,
Hanna's moeder kijkt hem verbaasd aan.
'Kennen jullie haar?'
Hanna en Jesse knikken.

Ze vertellen van de ontmoeting bij de kooi.
'Mag zij wel in de kooi komen?' vraagt Hanna.
Haar moeder neemt een slok van haar koffie.
'Nee, eigenlijk niet,' zegt ze dan.
'Maar Onno heeft haar een sleutel gegeven.
Ze wilde graag zelf de kooi nakijken.'
Hanna knikt peinzend.
'Gaat Onno nog naar de politie?' wil ze weten.
Haar moeder haalt haar schouders op.
'Ik denk het niet, hoor.
Dan komt het ook in de krant.
Dat is geen goede reclame voor de dierentuin.
Het gaat toch al niet zo best.
En misschien ...'
Ze aarzelt even.
'Misschien wat?' vraagt Hanna.
'Misschien moet de dierentuin wel sluiten,' zegt haar moeder.
Geschrokken kijken Hanna en Jesse elkaar aan.
'De dierentuin sluiten?' roept Jesse.
'Maar ... maar dat kan toch niet!
Waar moeten alle dieren dan heen?'
Hij slaat boos op de leuning van zijn stoel.
'Komt het door die vogels?' vraagt Hanna zacht.
Haar moeder schudt haar hoofd.
'Nee, niet alleen door die vogels.
Kijk eens goed om je heen.

Het is nu vakantie.
Het zou dus eigenlijk heel erg druk moeten zijn.
Er komen steeds minder bezoekers.
Een dierentuin kost gewoon veel geld.
En als er dan ook nog steeds vogels verdwijnen ...'
Ze maakt haar zin niet af.
Hanna en Jesse zwijgen bedrukt.

Een ober brengt hun friet en cola.
'Nou ja,' zegt Hanna's moeder.
'Hopelijk wordt het volgende week een stuk drukker.'
Hanna knikt.
Ze weet wat haar moeder bedoelt.
Een paar weken geleden is er een klein ijsbeertje geboren.
Dat gebeurt niet vaak in een dierentuin.
Het stond in alle kranten.
Onno is zelfs voor het journaal geïnterviewd.
Het jonge beertje heet Daniëlle.
Vanaf volgende week mag het publiek haar zien.
Hanna en Jesse kennen Daniëlle al.
Hanna's moeder heeft geholpen bij de geboorte.
Hanna en Jesse mochten achter een raam toekijken.
Dat was heel mooi om te zien.
'Iedereen komt naar haar kijken,' zegt Hanna met volle mond.
'Dat weet ik zeker.'

Haar moeder staat op.
'Ik moet weer aan het werk.
Er ligt nog één patiënt op me te wachten.
Wat gaan jullie doen?'
'We zoeken Wim op,' zegt Hanna.
'Die heeft meestal wel een leuk werkje voor ons.'
'Dat is goed,' zegt haar moeder.
'Om vijf uur bij het hek, weet je nog?'
Hanna lacht.
'Ja mam, ik weet het heus nog wel.'
Haar moeder steekt een hand op.
Jesse en Hanna drinken hun glas leeg.
'Kom op,' zegt Jesse.
'Laten we Wim gaan zoeken.'
Hij staat op en loopt het terras af.
Hanna blijft nog even zitten.
Ze houdt het glas in haar hand.
Ze staart voor zich uit.
Dan staat ze ook op.
Ze heeft een besluit genomen.
Er moet iets gebeuren.
De vogeldief móét gepakt worden.
Anders moet de dierentuin misschien sluiten.
Hanna heeft haar plan klaar.
Het is een gevaarlijk plan.
Haar hart bonst als ze eraan denkt.
Ze hoopt maar dat Jesse wil meedoen.

Met z'n tweeën moet het lukken.
Vlug rent ze achter hem aan.

## 4. Het plan

'Jesse, wacht even op mij.'
Jesse draait zich om.
Hij wacht tot Hanna bij hem is.
'Ik heb een plan bedacht,' hijgt Hanna.
'Een plan om de vogeldief te pakken.'
Samen lopen ze verder.
'Maar misschien is er niet eens een dief,' zegt Jesse.
'Misschien zijn die vogels toch gewoon ontsnapt.'
Hanna zucht.
'Ja, misschien wel.
Maar die kooi is heel goed geïnspecteerd.
Eerst door Wim en toen nog een keer door Ilse.
Er zit nergens een gat in het gaas.
Ze moeten dus wel gestolen zijn.'
Jesse haalt zijn schouders op.
'Misschien zijn ze opgegeten.'
Hanna schatert het uit.
'Hoe kan dat nou?
Er zitten alleen vogels in die kooi.
Die eten elkaar heus niet op.'
'O nee?' zegt Jesse.
'Er zitten ook roofvogels in, hoor.
Die lusten misschien best een andere vogel.'
Daar moet Hanna hem gelijk in geven.
'Toch denk ik dat er een dief is,' zegt ze.

‘Welke vogel eet er nou een sneeuwuil op?
Die is veel te groot voor een andere vogel.
En dat zou je dan toch zien?
Dan moet er bloed op de grond liggen.
Nee, iemand heeft die vogels gestolen.’
‘Maar waarom dan?’ vraagt Jesse.
‘Wat moet je met die vogels?’
‘Verkopen denk ik,’ zegt Hanna.
‘Een sneeuwuil is vast heel veel geld waard.’
‘Misschien slachten ze hem wel voor de veren,’ zegt Jesse.
‘Die stoppen ze dan in kussens.
Dat heb ik wel eens gehoord.’
Hanna schrikt ervan.
‘Denk je dat?
Dan moeten we die dief zéker vangen.
Voordat hij die sneeuwuil doodmaakt.’

Ze gaan op een bankje in de schaduw zitten.
‘Wat voor plan heb je bedacht?’ vraagt Jesse.
Hanna geeft geen antwoord.
Ze kijkt naar rechts.
Daar loopt Ilse achter een kruiwagen vol maïs.
Ze loopt langs het winkeltje met souvenirs.
‘Of mag ik het niet weten?’
De stem van Jesse klinkt beledigd.
‘O eh ... ja, natuurlijk wel,’ zegt Hanna.

Ze wacht even tot een paar mensen zijn doorgelopen.
Opeens ziet ze Ilse niet meer.
Hanna kijkt Jesse aan.
'Wanneer zijn die vogels verdwenen?'
Jesse trekt een gek gezicht.
'Ja, vandaag dus en gisteren en eergisteren.'
'Nee, dat bedoel ik niet,' zegt Hanna.
'Ik bedoel: op welk deel van de dag?'
Jesse denkt even na.
''s Nachts,' zegt hij dan.
'Elke morgen is er een vogel weg.
Dat moet dus wel 's nachts gebeurd zijn.'
Hanna knikt tevreden.
'Er verdwijnt dus elke nacht een vogel,' zegt ze.
'Daar heeft mijn plan ook mee te maken.'
Ze kijkt een paar keer om zich heen.
Dan vertelt ze haar plan aan Jesse.
Jesses mond valt open.
Verbijsterd staart hij Hanna aan.
'Durf je met me mee te doen?' vraagt Hanna ten slotte.
Jesse klapt zijn kaken weer op elkaar.
Een tijd zegt hij niets.
Hij staart naar zijn knieën.
'Durf je mee te doen?' vraagt Hanna nog een keer.
Langzaam knikt Jesse.
'Ja, dat durf ik wel,' zegt hij schor.
'Mooi zo,' zegt Hanna.

Ze springt overeind.
'Kom op, ik zag Ilse net bij de winkel lopen.
Ik vertrouw haar niet.
Zullen we eens kijken wat ze gaat doen?'
Samen hollen ze naar de winkel.
'Daar gaat ze!' sist Hanna.
'Daar, bij de zebra's.'
Ze wil achter Ilse aan lopen.
'Ha, Hanna en Jesse!' klinkt opeens een stem.
Verbaasd draaien Hanna en Jesse zich om.
Tom staat voor hen.
Hij zit bij hen in de klas.
'Wat doen jullie hier?' vraagt hij.
'We helpen mijn moeder,' zegt Hanna kortaf.
'En jij dan?' vraagt Jesse aan Tom.
Tom geeft geen antwoord.
Hij kijkt omhoog en luistert gespannen.
'Ik moet gaan,' zegt hij.
'Volgens mij zag ik daar een ruimteschip.'
Hij holt weg, terwijl hij de lucht afspeurt.
Bij de giraffen verdwijnt hij om de hoek.
Jesse kijkt hem hoofschuddend na.
'Hij altijd met z'n ruimteschepen.'
Hanna trekt hem mee.
'Kom, rennen!
Ilse is allang de hoek om.'
Ze rennen naar het kantoor bij de ingang.

Ilse zet net de kruiwagen neer.
Dan gaat ze naar binnen.
Jesse en Hanna wachten een paar minuten.
'Zullen we naar Wim gaan?' zegt Jesse.
'Ik verveel me hier rot.
We kunnen misschien beter ...'
Hanna trekt hem achter een boom.
'Daar is ze weer!'
'Ja, nou en?' zegt Jesse een beetje boos.
'Je denkt toch niet dat ze nu een vogel gaat stelen?
Je weet trouwens niet eens of zij de dief is.'
Hanna gluurt voorzichtig om de boom.
Ilse heeft zich omgekleed.
Ze draagt nu haar gewone kleren.
Ze loopt naar de uitgang van de dierentuin.
Hanna en Jesse wachten nog even.
Dan hollen ze naar het draaihek.
Ze zien nog net dat Ilse in een auto stapt.
Het is een prachtige, rode sportwagen.
Hanna en Jesse kijken vanachter het hek toe.
'Mooi karretje is dat,' klinkt opeens een stem achter hen.
Het is de stem van Wim.
Hij knikt in de richting van de sportwagen.
'Dat kost een hoop geld, zo'n wagen.
Dat ding is bijna nieuw, zo te zien.'
Ilse start de auto en rijdt weg.
'Het is een hoop geld,' mompelt Wim nog eens.

‘Het is een hoop geld voor zo’n jong meisje.’
Hoofdschuddend loopt hij weg.
Hanna kijkt Wim peinzend na.
Een hoop geld voor zo’n jong meisje?
Wat bedoelt Wim daarmee?
Of zou hij ook denken ...?
Opeens snapt Hanna het!
Wim verdenkt Ilse ook van het stelen van de vogels.
Hoe komt ze anders aan het geld voor die sportwagen?
Ze steelt dure vogels en verkoopt die.
Dat moet bijna wel zo zijn.
Hanna weet het plotseling heel zeker.
Dat vreemde meisje Ilse is de dief!
Het kan bijna niet anders.

## 5. Wandeling in de nacht

'Ik ga maar eens naar bed,' zegt Hanna.
Haar vader kijkt verbaasd op van zijn krant.
'Kind, het is nog niet eens zeven uur.'
Haar moeder kijkt haar bezorgd aan.
'Je bent toch niet ziek, hoop ik?'
Hanna doet net of ze gaapt.
'Nee hoor, ik ben alleen moe.
Het was een drukke dag vandaag.'
Ze geeft haar vader en moeder een zoen.
'Wel goed je tanden poetsen!' roept haar moeder nog.
Hanna holt de trap op naar haar kamer.
Ze gaat expres vroeg naar bed.
Dan kan ze nog eens heel goed over haar plan nadenken.
Deel één van het plan is in elk geval gelukt.
Het moeilijkste deel moet nog komen.
Vlug kleedt ze zich uit.
Haar kleren legt ze op de stoel naast haar bed.
Ze poetst haar tanden.
Dan duikt ze in bed.
Ze tuurt naar het plafond.
Ze slikt als ze aan haar plan denkt.
Is het niet te gevaarlijk?
Hanna perst haar lippen op elkaar.
Nee, het móét.
Ze móét het plan uitvoeren.

Ze kan nu niet meer terug.
Hanna pakt het boek dat onder haar kussen ligt.
Ze leest een paar bladzijden.
Dan klapt ze het boek dicht.
Ze kijkt op de wekker.
Wat gaat de tijd langzaam, zeg!
Het is nog niet eens acht uur.
Zou Jesse ook al in bed liggen?
Zou hij echt meedoen met haar plan?
Misschien heeft hij andere ideeën gekregen.
Plannen die je niet 's nachts hoeft uit te voeren. Nee!
Hanna's ogen vallen een paar keer dicht.
Ze dwingt zichzelf om wakker te blijven.
In de verte slaat een torenklok negen keer.
Langzaam wordt het buiten donker.
De ogen van Hanna vallen weer dicht.
Vlug gaat ze rechtop in bed zitten.
Ze moet nu niet in slaap vallen.
Dan kan haar plan niet doorgaan.

Na een halfuur is het buiten helemaal donker.
Hanna telt langzaam tot honderd.
En nog een keer en nog een keer.
Eindelijk hoort ze pap en mam naar boven komen.
Vlug kruipt Hanna diep onder de dekens.
Ze doet net of ze slaapt.
De deur van haar kamer gaat open.

Hanna voelt dat pap haar een zoen geeft.
Dan is ze weer alleen.
Ze kijkt op de wekker.
Het is halfelf.
Nog een halfuur en dan gaat het gebeuren!

Precies om elf uur glipt Hanna uit bed.
Ze kleedt zich aan.
Dan sluipt ze naar de deur en doet die open.
Het is doodstil in huis.
Hanna loopt heel zacht de trap af.
In de gang trekt ze haar jas en schoenen aan.
Bij de keukendeur haalt ze nog een keer diep adem.
Dan draait ze de sleutel om en stapt naar buiten.
Ze doet het tuinhekje open.
Opeens doemt er iemand vlak voor haar op.
Hanna verstijft van schrik.
'Psst Hanna, ben jij dat?'
Het is de stem van Jesse.
'Ja, ik ben het,' sist Hanna opgelucht.
Zwijgend lopen ze het paadje af.
In de straat is wat meer licht.
'Hoe ver is het?' vraagt Jesse.
'Een halfuur lopen,' is het antwoord van Hanna.
Jesse zucht.
'Dan hadden we veel beter met de fiets kunnen gaan.'
'Nee, juist niet,' zegt Hanna.

‘Dat valt te veel op.
Pas op, daar komt een auto aan!’
Ze trekt Jesse mee achter een boom.
‘Zie je wel?’ zegt ze, als de auto voorbij is.
‘Op de fiets kun je niet zo gauw wegduiken.’
Jesse kucht.
‘Ik ben wel een beetje bang.’
‘Ik ook,’ zegt Hanna.
‘Maar we móéten iets doen.
Anders gaat de dierentuin dicht.’
Ze wijst naar rechts.
‘Nog een stukje door het park en dan zijn we er.’

De parkeerplaats van de dierentuin ligt er verlaten bij.
Het is er gelukkig niet helemaal donker.
Een paar lantaarns zorgen voor wat licht.
Ook het bord met de plattegrond is verlicht.
Hanna loopt naar de deur naast het draaihek.
‘Weet je het nummer uit je hoofd?’ vraagt Jesse.
Hanna zegt niets.
Ze toetst vier cijfers in op het kastje naast de deur.
Er klinkt een klik.
De deur zwaait open.
Hanna en Jesse glippen naar binnen.
Hanna geeft Jesse een hand.
Zo lopen ze de dierentuin in.
Op weg naar de vogelkooi.

## 6. Op wacht

'Dit is een goed plekje,' zegt Jesse zacht.
Hij wijst op een struik schuin achter de kooi.
'Zo kunnen we precies de deur van de kooi zien.'
Hanna knikt.
Jesse heeft gelijk.
De struik staat zo'n vijf meter van de deur.
De lantaarn op de parkeerplaats schijnt nog net op de deur van de kooi.
'Hier houden we de wacht,' zegt Hanna.
Ze gaan op hun knieën achter de struik zitten.

'Zou het nog lang duren?' vraagt Jesse na een poos.
'Weet ik niet,' fluistert Hanna.
Jesse stoot haar aan.
'Maar eh ... misschien is de dief al geweest.'
Hanna zegt niets.
Daar had ze zelf ook al aan gedacht.
'Vast niet,' fluistert ze terug.
'Een dief komt altijd pas na twaalf uur of zo.'
Ze zeggen een tijdje niets.
In de kooi fladdert een vogel heen en weer.
In de verte krijst een aap.
Hanna rilt als ze achter zich een wolf hoort huilen.
Het wolvenhok met de ruïne is dichtbij.
'Mijn been doet zeer,' fluistert Jesse.

Hanna spitst opeens haar oren.
'Stil!' sist ze.
Vlakbij horen ze een schuifelend geluid.
Ze kruipen wat dichter tegen elkaar aan.
Hanna tuurt in het duister.
Ze voelt haar hart in haar keel kloppen.
Komt daar echt iemand aan?
Wat moeten ze nu doen?
Opnieuw hoort ze dichtbij een geluid.
Ze drukt zich nog dichter tegen de grond.
En dan ...
Dan ziet ze opeens een schim bij de deur van de kooi.
Ze durft bijna geen adem te halen.
Jesse knijpt keihard in haar arm.
Haar ogen doen pijn van het turen.
Wie staat daar bij de deur van de kooi?
Heel voorzichtig buigt ze een tak opzij.
Nu ziet ze het wat beter.
Het is een meisje.
Het is een meisje met een sleutel in haar hand.
Hanna wordt woedend.
Ze springt op.
Ze neemt een paar grote stappen naar het meisje toe.
'Laat die deur dicht!' roept ze.
Het meisje kijkt haar verstijfd van schrik aan.
Het is Ilse!
'Wat ... wat doe jij hier?' hijgt ze.

'Je bent een gemene dief!' snauwt Hanna.
Het meisje spreidt haar handen.
'Ik een dief?
Hoe kom je daar nou bij?'
Jesse komt er ook bij staan.
'Wat doe je hier anders?' zegt Hanna.
Ilse haalt een hand door haar haren.
'Sjonge, ik schrok me wild.'
Ze knipt een zaklamp aan.
'Ik wilde vannacht de wacht houden,' zegt ze.
'Zodat er niet nog een keer een vogel gestolen wordt.'
Hanna's boosheid zakt een beetje.
Het klinkt heel eerlijk wat Ilse zegt.
'Is dat echt waar?' vraagt ze.
'Ja, dat is echt waar,' antwoordt Ilse.
'Maar wat doen jullie hier?'
'Wij zaten ook op wacht,' zegt Jesse.
'Achter die struik daar.'
'Ik wilde in het hok gaan zitten,' gaat Ilse verder.
'Net zolang tot de dief zou komen en dan ...'
Ze knipt opeens de zaklamp uit.
'Wat is er?' sist Hanna.
Ilse doet een stap naar hen toe.
'Ik hoor een auto stoppen,' zegt ze zacht.
'Kom mee.'
Ze hollen met z'n drieën naar de struik.
Daar drukken ze zich tegen elkaar aan.

Een paar minuten zitten ze doodstil.
'Ik zie wat,' sist Jesse opeens.
'Daar, bij de winkel!'
Hanna kijkt schuin achterom.
Er staat een man op het pad bij de winkel.
Hanna knijpt haar ogen tot spleetjes.
Dan begint de man te lopen.
'Hij komt deze kant op,' fluistert Hanna.
Ze voelt de arm van Ilse om haar schouder.
'Rustig blijven,' zegt Ilse.
Hanna slikt een paar keer.
Haar been trilt opeens heel erg.
Komt daar de echte dief aan?

## 7. Betrapt!

Links van hen klinkt het geluid van een brekend takje.
Het is net of er iemand door de bosjes sluipt.
Hanna durft bijna geen adem te halen.
Ze staart naar de deur van de kooi.
Er gebeurt een poos niets.
Zou de man weg zijn?
Hanna hoopt van wel.
Ze heeft allang spijt van haar plan.
Het is veel enger dan ze ooit had gedacht.
Oei, wat zullen pap en mam boos zijn.
Opeens staat de man bij de deur van de kooi.
Hij draagt een zak over zijn arm.
Even valt het licht van zijn lantaarn op zijn gezicht.
Hanna's hart staat bijna stil van schrik.
De man haalt een sleutel uit zijn zak.
Hij kijkt een paar keer om zich heen.
Dan maakt hij de deur open.
Hij verdwijnt in de kooi.
Hanna wil overeind komen, maar Ilse houdt haar vast.
'Blijf zitten,' zegt ze bijna onhoorbaar in Hanna's oor.
Hanna doet wat ze zegt.
In de kooi hoort ze onrustig gefladder en gepiep.
Dan zwaait de deur van de kooi weer open.
De man draagt de zak nu over zijn schouder.
Hij doet de deur weer op slot.

Dan verdwijnt hij in het duister.
Hanna, Jesse en Ilse blijven nog een poos doodstil zitten.
Ze horen een auto starten en wegrijden.

Pas dan staat Ilse als eerste op.
Ze knipt haar zaklamp aan.
'Dat was dus de dief,' zegt ze zacht.
Hanna en Jesse komen ook overeind.
'Poe, wat was dat eng,' zegt Jesse met een diepe zucht.
Ilse klopt haar broek af.
'Zeg dat wel.
Ik wou de dief eigenlijk pakken.
Maar ik vond het net toch te gevaarlijk.
Je weet nooit wat zo'n man doet.'
Ze kijkt op haar horloge.
'Ik bel straks Onno wel op.
Die moet dan de politie maar bellen.'
Hanna staart Ilse en Jesse aan.
'Maar ... maar zagen jullie dan niet wie het was?'
Ilse schudt haar hoofd.
Jesse haalt zijn schouders op.
'Het was te donker,' zegt hij.
Hanna slikt een paar keer.
'Ik ... ik heb ook niet gezien wie het was,' zegt ze.
Ilse kijkt haar aan.
'Het is wel vreemd dat de dief een sleutel had,' zegt ze.
'Hoe komt hij daaraan?

Nou ja, dat moet de politie maar uitzoeken.
Kom, ik breng jullie naar huis.
Zijn jullie op de fiets hier?'
'Nee, lopend,' antwoordt Jesse.
'Hoe laat is het?' wil Hanna weten.
'Een uur of halfeen,' zegt Ilse.
Hanna slikt.
Ze heeft een raar gevoel in haar buik.
Het is midden in de nacht!
Pap en mam denken dat ze in bed ligt.

Ze lopen naar het draaihek bij de ingang.
Even later staan ze op de parkeerplaats.
'Kom maar mee,' zegt Ilse.
'Ik heb mijn auto verderop neergezet.'
Hanna en Jesse lopen achter haar aan.
Ilse stopt bij een blauwe auto.
'Is dit jouw auto?' vraagt Hanna verbaasd.
'Je had toch zo'n mooie rode?'
'O, die,' lacht Ilse.
'Nee hoor, was dat maar waar.
Dat was de auto van mijn vader.
Mijn eigen auto was in de garage.
Toen mocht ik die van mijn vader een dagje lenen.
Stap maar gauw in.'
Hanna en Jesse gaan op de achterbank zitten.
'Waar wonen jullie?' vraagt Ilse.

Hanna noemt haar adres.
'Ik woon naast haar,' zegt Jesse.
Hij kijkt Hanna bedrukt aan.
'Mijn vader en moeder zullen wel heel boos zijn.'
'Die van mij ook,' zegt Hanna.
Ilse rijdt weg.
'Ja, maar ze moeten ook blij zijn,' zegt Ilse.
'We hebben net toch maar mooi de dief betrapt.'
Hanna duwt haar voorhoofd tegen de ruit.
Ja, denkt ze.
Maar ik weet wie de dief is.
Ik heb net zijn gezicht gezien.
Ze kan het nauwelijks geloven.
Misschien heeft ze het niet goed gezien.
Misschien ... misschien leek hij alleen maar op hem.

## 8. Ik weet wie het was

'Kind kind, hoe kon je dat nou doen?'
Hanna's moeder schudt haar hoofd.
Ze zitten allemaal in de kamer bij Hanna thuis.
De ouders van Jesse zijn er ook.
Hanna en Jesse hebben een glas melk voor zich staan.
De anderen drinken koffie.
Hanna kijkt beschaamd naar de grond.
'We moesten de vogeldief pakken, mam,' zegt ze zacht.
'Anders gaat de dierentuin misschien dicht.
Dat heb je zelf gezegd.'
Haar moeder schudt zuchtend haar hoofd.
'Wees maar blij dat het zo goed is afgelopen.'
Ze kijkt opzij naar Ilse.
'Heb je Onno al gebeld?'
Ilse knikt.
'Ja, maar er neemt niemand op.
Hij ligt vast al in bed.
Het is ook al halftwee geweest.
Ik bel hem morgenvroeg wel op.'
'Dat is goed,' zegt Hanna's moeder.
'Dan moet hij de politie maar bellen.'
Ilse neemt een slok van haar koffie.
'De dief had een sleutel van de kooi,' zegt ze.
'Dat vind ik wel vreemd.'
'Die heeft hij misschien gestolen,' zegt Jesse.

'Dat zou kunnen,' zegt Hanna's vader.
'Of ...'
Hij wacht even.
'Of de dief werkt gewoon in de dierentuin.'
Hanna neemt een slok van haar melk.
Ze haalt nog een keer diep adem.
'Ik weet wie het was,' zegt ze dan luid en duidelijk.
'Het was Wim.'
Ze staren haar allemaal aan.
De mond van haar moeder valt open.
'Het was Wim,' zegt Hanna nog een keer.
'Ik heb heel duidelijk zijn gezicht gezien.'
'Maar ... maar dat kan niet,' stottert Jesse.
'Weet je het wel zeker?'
'Heel zeker,' zegt Hanna.
'Wim heeft al die vogels gestolen.'
Even is het stil in de kamer.
De moeder van Hanna gaat naast Hanna zitten.
'Je moet het wel heel zeker weten, meisje.'
Haar stem klinkt ernstig.
Hanna knikt.
'Ja mam, maar ik weet het ook echt heel zeker.
Het licht viel precies op zijn gezicht.
Het was Wim.'
De moeder van Hanna staat op.
'Dan bel ik nu zelf de politie,' zegt ze.
'Misschien heeft Wim die vogels nog thuis.'

Ze zoekt in het telefoonboek en toetst een nummer in.

Hanna's moeder hangt op.
'Ze sturen een auto naar het huis van Wim,' zegt ze.
'Misschien bellen ze straks nog even terug.'
De vader en moeder van Jesse staan op.
'Dan gaan wij naar huis,' zegt Jesses vader.
Hij kijkt de vader van Hanna aan.
'Heb jij misschien een dik stuk touw?
Dan kan ik Jesse aan zijn bed vastbinden.
Anders gaat hij straks weer op stap.'
Hanna's vader schudt lachend zijn hoofd.
Hij loopt met de ouders van Jesse mee naar de gang.
Jesse steekt nog even gauw zijn hand op naar Hanna.
Hanna zwaait terug.
Ze laat zich in de kussens van de bank zakken.
Het nare gevoel in haar buik is verdwenen.
Pap en mam zijn gelukkig niet zo heel erg boos.
Ze hoort de voordeur dichtslaan.
Haar vader komt de kamer weer binnen.
'Sjonge, wat een avontuur,' zegt hij.
Hij kijkt Hanna aan.
'Je snapt zeker wel dat je zoiets nooit meer mag doen.'
Hanna knikt heftig.
'Ja pap,' zegt ze.
'Maar anders ... anders ging de dierentuin misschien dicht.'

Ze gaapt met haar mond wijdopen.
'Vlug naar boven,' zegt haar vader.
'Je zult wel flink moe zijn.'
Hanna loopt naar de deur van de kamer.
En dan ... dan gaat de telefoon.
Hanna kijkt haar moeder met grote ogen aan.

## 9. Blij en verdrietig

Hanna's moeder pakt de telefoon op.
'Met mevrouw Mertens.'
Hanna ziet dat haar moeder een paar keer knikt.
Het is een kort gesprek.
Hanna's moeder legt de telefoon neer.
'Dat was de politie,' zegt ze.
'Ze zijn bij het huis van Wim geweest.'
'Ja, en toen?' vraagt Hanna gespannen.
'Wim was niet thuis,' gaat haar moeder verder.
'Maar de agenten hebben zijn schuur doorzocht. Daar hebben ze twee vogels in een kooi gevonden.
De ara en de sneeuwuil.'
'De kaketoe niet?' vraagt Hanna.
Haar moeder schudt haar hoofd.
'Nee, maar die kan hij best ergens in huis hebben.'
'Of hij heeft hem verkocht,' zegt Hanna's vader.
De moeder van Hanna geeft Hanna een duwtje.
'En nu naar bed jij.'
Hanna kijkt haar moeder aan.
'Wat gebeurt er nu met Wim, mam?'
Haar moeder haalt haar schouders op.
'Hij zal morgen wel gearresteerd worden,' zegt ze.
'Dan krijgt hij straf.'
'Komt hij weer terug in de dierentuin?'
'Nee,' antwoordt haar moeder.

'Dat zal niet gebeuren.
Onno zal hem meteen ontslaan als hij dit hoort.'

Hanna sjokt de trap op naar boven.
Nu pas voelt ze hoe moe ze is.
Vlug kleedt ze zich uit.
'Klaar?' vraagt haar moeder, die even later binnenkomt.
Hanna's ogen vallen al dicht,
'Nu de rest van de nacht blijven liggen,' zegt haar moeder lachend.
'En geen rare ideeën meer in je hoofd halen.'
Ze geeft Hanna een zoen.
Zacht trekt ze de deur van de slaapkamer dicht.
Hanna stopt haar hoofd in haar kussen.
Ze is blij en verdrietig tegelijk.
Blij omdat er twee vogels terug zijn.
En verdrietig omdat Wim de dief was.
Dat had ze nooit van hem gedacht.
Hij was altijd zo aardig voor haar en Jesse.
Zou hij naar de gevangenis moeten?
Hanna weet het niet.
Wie moet dan zijn werk doen in de dierentuin?
Misschien mag ik dat wel doen, denkt Hanna.
Dan doe ik het samen met Jesse.
Nee, we doen het met z'n drieën. Jesse, Ilse en ik.
Hanna draait zich nog een keer om.
Dan valt ze in een diepe slaap.

Het was een lange, lange nacht.
Het was een lange nacht op wacht.

Naam: *Hanna Mertens*
Ik woon met: *Vader/Moeder/broer Marco*
*(zit in groep 8)*
Dit doe ik het liefst: *Dieren verzorgen/Computeren*
Hier heb ik een hekel aan: *Dierenmishandeling*
Later word ik: *Dierenarts*
In de klas zit ik naast: *Linda*

Zouden er echt ruimtewezens zijn?
Tom (zie pagina 31) denkt van wel. Wil je het weten,
lees dan: 'Typisch Tom'.

**Typisch Tom**

Bikkels

AVI 6

1e druk 2005

ISBN 90.276.6018.2
NUR 282


Illustraties: Alice Hoogstad
Vormgeving: Rob Galema
Uitgeverij Zwijsen B.V. Tilburg

Voor België:
Zwijsen-Infoboek, Meerhout
D/2005/1919/158